O jovem

FÓSFORO

ANNIE ERNAUX

O jovem

Tradução
MARÍLIA GARCIA

2ª reimpressão

Se não escrevo as coisas,
elas não encontram seu termo,
são apenas vividas.

HÁ CINCO ANOS, passei uma noite inapropriada com um jovem estudante que vinha me escrevendo havia um ano e que queria me encontrar.

Muitas vezes fiz amor para me obrigar a escrever. Queria encontrar, na sensação de cansaço e desamparo de depois, motivos para não esperar mais nada da vida. Nutria a esperança de que, ao fim da espera mais violenta de todas, a de um orgasmo, eu pudesse ter certeza de que não havia orgasmo mais intenso que a escrita de um livro. Talvez tenha sido o desejo de desencadear o processo de escrita de um livro — o que eu hesitava em fazer por conta de sua dimensão — que me levou a convidar A. para tomar uma taça de vinho na minha casa, depois de termos jantado num restaurante onde ele permanecera, por timidez, praticamente o tempo todo mudo. Ele tinha quase trinta anos a menos que eu.

Passamos a nos encontrar nos finais de semana e, nos intervalos, sentíamos cada vez mais falta um do outro. Todos os dias ele me telefonava de uma cabine telefônica para não despertar suspeitas na sua companheira. Tomados pelos hábitos de uma coabitação precoce e pelo nervosismo com as provas da faculdade, ela e ele nunca tinham imaginado que fazer amor pudesse ser algo além da satisfação espaçada de um desejo. Que pudesse ser um tipo de criação contínua. O ardor que vi em A. com essa descoberta fortalecia ainda mais nossa relação. Aos poucos, a aventura tinha se transformado numa história que queríamos levar até o fim, sem saber muito bem o que isso significava.

Quando, para minha satisfação e alívio, ele terminou com a namorada e ela foi embora de seu apartamento, comecei a ficar na casa dele de sexta à noite até segunda de manhã. Ele morava em Rouen, cidade na qual eu mesma fora estudante nos anos 1960 e que, durante anos, eu apenas atravessava para visitar o túmulo dos meus pais em Y. Ao chegar lá, abandonava as compras na cozinha sem guardar nada e fazíamos amor. Assim que entrávamos no quarto, começava a tocar um CD que já estava no aparelho, muitas vezes do The Doors. A certa altura, eu já não ouvia mais a música.

Até que os acordes bem marcados de "She Lives on Love Street", na voz de Jim Morrison, chegavam até mim de novo. Ficávamos deitados no colchão apoiado diretamente no piso. O trânsito era intenso àquela hora. Os faróis projetavam luzes nas paredes do quarto pelas janelas compridas e sem cortina. Tinha a sensação de nunca ter me levantado de uma cama, a mesma desde os meus dezoito anos, mas em lugares diferentes, com homens diferentes e indiscerníveis entre si.

O apartamento dele dava para o Hôtel-Dieu, o primeiro grande hospital de Rouen, desativado havia um ano e em obras para se transformar na sede da prefeitura. Ao anoitecer, as janelas do prédio acendiam e, com frequência, ficavam assim durante toda a noite. O imenso pátio quadrado à frente era uma vastidão sombreada e vazia por trás dos portões cerrados. Eu observava os telhados escuros, a cúpula de uma igreja que despontava ao fundo. Com exceção dos vigias, não havia mais ninguém. Foi para esse lugar, exatamente esse hospital, que me levaram quando era estudante, numa noite de janeiro, por conta de uma hemorragia que tive depois de um aborto clandestino. Não lembrava em qual ala do hospital ficava o quarto que eu tinha ocupado por seis dias. Essa coincidência absurda, quase inacreditável, era um sinal de que meu encontro com ele estava carregado de mistérios e de que a nossa história precisava ser vivida.

Nas tardes de domingo, quando chovia, ficávamos debaixo do edredom e acabávamos dormindo ou cochilando. Em meio ao silêncio da rua, emergiam vozes de raros passantes, muitas vezes imigrantes que moravam num centro de acolhimento próximo. Sentia-me então de volta a Y., quando, criança, ficava lendo ao lado da minha mãe, que tinha adormecido de exaustão vestida sobre a cama, domingo depois do almoço, a loja fechada. Eu deixava de ter uma idade e perambulava de um tempo a outro numa espécie de semiconsciência.

Na casa dele, me deparava com o desconforto e com condições rudimentares de instalação que eu mesma conhecera no começo da vida conjugal com meu marido, quando éramos estudantes. Nas placas elétricas do fogão, cujo termostato já não funcionava, só dava para preparar bifes, que corriam o risco de logo grudar no fundo da frigideira, macarrão ou arroz, que cozinhavam em meio a incontroláveis transbordamentos de água. A geladeira velha e desregulada congelava as folhas no recipiente de salada. Para suportar o frio úmido dos quartos, com seu pé-direito alto e suas janelas soltas, impossíveis de esquentar com aquecedores elétricos deteriorados, era preciso usar três casacos de uma vez.

Ele me levava aos cafés frequentados por jovens, o Au Bureau, o Big Ben. Convidava-me para comer no supermercado Jumbo. Sua rádio preferida era a Europe 2. Todas as noites assistia na tevê a *Nulle Part Ailleurs*. Na rua, todo mundo que ele cumprimentava era jovem, quase sempre estudante. Quando parava para falar com alguém, eu ficava afastada e seu conhecido me lançava um olhar furtivo. Depois, ele me contava sobre o percurso universitário daquele que tínhamos acabado de encontrar, descrevia seus êxitos, suas dificuldades. De vez em quando, de longe e com discrição, pedindo para eu não me virar, mostrava-me um de seus professores da faculdade de letras. Ele me arrancava da minha geração, mas eu não pertencia à dele.

O seu ciúme extremo — ele me acusou de ter recebido um homem em casa porque o assento da privada estava levantado — mostrava que era inútil duvidar da paixão dele por mim e absurda a fantasia que eu criava de censura por parte de seus colegas, *como é que você consegue sair com uma mulher que entrou na menopausa?*

Em meus 54 anos, nunca antes eu fora, para um amante, objeto de tanto ardor como o que ele me devotava.

Por estar sujeito a uma vida precária e à indigência dos estudantes pobres — endividados, seus pais viviam num subúrbio parisiense próximo, com um salário de secretária e contratos temporários —, ele só comprava os produtos mais baratos ou em promoção, como queijos A Vaca que ri e camembert de cinco francos. Ia até o Monoprix para comprar uma baguete porque lá custava cinquenta centavos a menos que na padaria ao lado. Ele se expressava, de modo espontâneo, por meio de gestos e reflexos condicionados por uma falta de dinheiro contínua e herdada. Uma espécie de desembaraço que lhe permitia se virar no dia a dia. Nos supermercados, fazer a limpa no prato com amostras de queijo oferecido por um funcionário. Em Paris, para ir ao banheiro sem ter de pagar, entrar decidido num café, localizar o toalete e, em seguida, sair com desenvoltura. Usar o parquímetro para ver a hora (ele não tinha relógio) etc. Toda semana ele jogava na loteria esportiva, apostando, como é natural em quem passa por dificuldades, tudo no acaso: "Um dia vou ganhar, é inevitável". Ao fim das manhãs de domingo, assistia ao *Téléfoot*, com

Thierry Roland. Para ele, o momento exato em que um jogador faz um gol e toda a torcida do Parc des Princes se levanta para aclamá-lo era a imagem perfeita da felicidade absoluta. Só de pensar na cena, ele já estremecia.

Quando eu lhe servia comida, dizia "stop" ou "está bom" em vez de "obrigado". Chamava-me de "patroa" ou de "mãezona". E se divertia com os gritinhos que eu dava ao saber que ele tinha fumado haxixe. Nunca tinha votado, não havia tirado seu título de eleitor. Não acreditava ser possível transformar qualquer coisa na sociedade, para ele bastava deslizar por dentro das engrenagens e se esquivar do trabalho, aproveitando os direitos que lhe eram conferidos. Era um típico jovem dos dias de hoje, convicto de que "cada um sabe onde pisa". O trabalho significava apenas uma obrigação à qual ele não queria se submeter se fossem possíveis outras formas de viver. Para mim, ter um trabalho fora a condição para a minha liberdade e continuou sendo diante da incerteza do sucesso dos meus livros, mesmo que eu admita que a vida de estudante tenha me parecido mais rica e prazerosa.

Trinta anos antes, eu teria me afastado dele. Na época, não queria identificar num rapaz as marcas da minha origem humilde, tudo o que eu considerava "bronco" e que sabia que estava em mim mesma. Agora, não me importava que ele limpasse a boca com um pedaço de pão ou que pusesse o dedo no copo para indicar que não queria mais vinho. O fato de eu me dar conta dessas marcas — e, algo talvez ainda mais sutil, de que ficasse indiferente a elas — era a prova de que já não pertencia ao mundo dele. Com meu marido, em outros tempos, eu me sentia como alguém do povo; com A., eu parecia uma filhinha de papai.

Ele era o portador da memória do meu mundo de origem. Mexer o açúcar na xícara de café para diluir mais rápido, cortar o macarrão, picar a maçã em pedacinhos para, em seguida, pegar com a ponta da faca — tantos gestos esquecidos que, de modo perturbador, eu reconhecia nele. Remontava aos meus dez, quinze anos, e eu estava de novo sentada à mesa com minha família e meus primos, que tinham, como A., a pele muito branca e as bochechas vermelhas, características típicas dos normandos. Ele concretizava o meu passado.

Com ele eu percorria todas as épocas da vida, da minha vida.

Eu o levava aos lugares que tinha frequentado durante meus anos de estudante. Os cafés Le Métropole e Le Donjon, perto da estação de trem. A faculdade de letras, na Rue Beauvoisine, desativada desde sua transferência para o campus de Mont-Saint-Aignan, com a parte externa mantida exatamente como era nos anos 1960, com seu quadro de avisos protegido por uma grade — só o relógio na fachada estava parado. O pequeno alojamento universitário da Rue d'Herbouville e, ao lado, o refeitório, o qual, depois de termos entrado, subido os poucos degraus que davam no hall, idêntico, com um aquecedor no meio e as portas no mesmo lugar, produziu em mim a sensação, durante longos minutos, de que eu estava vagando pelo tempo inominável de um sonho.

O amor sobre o colchão que ficava no piso do quarto glacial, o lanche num canto da mesa e a bagunça juvenil de sua casa, à qual eu tinha me sujeitado de modo tão rápido, provocavam em mim um sentimento de repetição. Ao contrário da época de meus dezoito, vinte e cinco anos, em que estava de todo imersa no que acontecia, sem passado nem futuro, em Rouen com A. eu tinha a impressão de voltar a representar a peça da minha juventude, com cenas e gestos que já tinham acontecido. Ou, ainda, a impressão de escrever/viver um romance cujos episódios ia construindo com cuidado. O episódio do final de semana no Grand Hôtel, de Cabourg, ou o de uma viagem a Nápoles. Alguns já haviam sido escritos, como o da escapulida a Veneza, para onde eu fora pela primeira vez com um homem em 1963, onde eu conhecera, em 1990, um jovem italiano.

Até mesmo levá-lo a uma encenação de *A cantora careca*, na Huchette, era a duplicação de uma iniciação posta em prática com cada um de meus filhos, no início da adolescência deles.

Nosso relacionamento podia ser encarado pelo ponto de vista da conveniência. Ele me proporcionava prazer e me fazia reviver coisas que eu nunca teria imaginado poder reviver. Que eu lhe oferecesse viagens, que lhe poupasse de buscar um emprego que lhe deixaria menos disponível para mim, parecia-me um acordo justo, um bom negócio, sobretudo porque era eu que estabelecia as regras. Eu ocupava uma posição dominante e usava as ferramentas de uma dominação que, no entanto, sabia ser frágil em uma relação amorosa.

Eu me sentia autorizada a dar algumas respostas rudes, sem saber se o motivo era a dependência econômica dele ou sua pouca idade. *Não me enche o saco*, ordem grosseira que o chocava e que eu nunca tinha endereçado a ninguém antes dele.

Eu gostava de pensar em mim mesma como aquela que poderia transformar a vida dele.

Em mais de um aspecto de sua vida — literário, teatral, de modos burgueses — eu cumpria um papel de iniciadora, mas o que ele me fazia viver também era da ordem de uma experiência iniciática. O principal motivo para eu querer seguir adiante com essa história era que, de certo modo, ela já tinha acontecido, e meu papel ali era o de uma personagem de ficção.

Tinha consciência de que fazer isso com esse jovem, que vivia as coisas pela primeira vez, representava uma forma de crueldade. Invariavelmente, em relação aos projetos de futuro que ele tinha comigo, eu respondia: "O presente me basta", sem nunca dizer que o presente era, para mim, apenas um passado duplicado. Mas essa duplicidade, da qual ele costumava me acusar em seus acessos de ciúmes, não se situava, ao contrário do que ele imaginava, no desejo que eu poderia ter sentido por outros homens e não por ele, nem mesmo, como ele estava convencido, na memória que eu tinha de meus amantes. Essa duplicidade era inerente à própria presença de A. em minha vida, que ele tinha transformado num estranho e contínuo palimpsesto.

Na minha casa, ele usava o roupão com capuz que tinha envolvido outros homens. Quando ele o vestia, eu não via nenhum deles. Diante desse tecido felpudo cinza claro, eu experimentava apenas o prazer dos meus anos vividos e da identidade do meu desejo.

Acontecia de conversarmos sobre o dia em que ele se casaria e teria um filho. Esse futuro que evocávamos, olhos nos olhos, num abraço apertado, os dois à beira das lágrimas, não era, de modo algum, triste. Ele tornava o momento presente tão mais intenso e pungente que o vivíamos como se fosse passado. Comungávamos, na fantasia, nossa perda recíproca com um prazer extremo.

Meu corpo não tinha mais idade. Era necessário o olhar pesado e reprovador de clientes ao nosso lado num restaurante para que eu me desse conta desse corpo. Olhar que, longe de me envergonhar, reforçava minha determinação de não esconder meu relacionamento com um homem "que poderia ser meu filho", enquanto qualquer sujeito de cinquenta anos podia se exibir com uma moça que claramente não era sua filha sem nenhuma reprovação. Mas eu sabia, vendo esse casal maduro me esquadrinhando, que, se eu estava com um jovem de vinte e cinco, era para não precisar ter diante de mim, o tempo todo, o rosto marcado de um homem da minha idade, o rosto do meu próprio envelhecimento.

Diante do rosto de A., o meu também era jovem. Os homens sempre souberam disso, eu não entendia por que eu seria proibida de fazer o mesmo.

Às vezes notava, em algumas mulheres da minha idade, o desejo de fisgar o olhar de A., seguindo, eu supunha, uma lógica simples: se ele gosta dela, prefere as mulheres maduras, então por que não gostaria de mim? Elas conheciam o próprio lugar dentro da realidade do mercado sexual; o fato de haver uma transgressão operada por uma de suas semelhantes enchia-lhes de esperança e ousadia. Por mais irritante que fosse tal atitude de querer fisgar — quase sempre discretamente — o desejo do meu parceiro, não me incomodava tanto quanto o atrevimento de algumas jovens que tentavam seduzi-lo na minha frente, como se a presença de uma mulher mais velha ao lado dele fosse um obstáculo negligenciável, até mesmo inexistente. Pensando bem, a mulher madura era, contudo, mais perigosa que a jovem — a prova disso era que ele tinha trocado uma de vinte anos por mim.

Íamos ver filmes cujo tema era o relacionamento entre um rapaz e uma mulher mais velha. Saíamos frustrados do cinema, irritados por não poder nos identificarmos com o roteiro, que retratava uma mulher que implorava e acabava abandonada e destroçada. Eu também não era a Léa de *Chéri*, romance de Colette, que eu relera. O que eu sentia nessa relação tinha uma natureza indizível, na qual se misturavam o sexo, o tempo e a memória. Por um instante, considerava A. como o jovem pasoliniano de *Teorema*, uma espécie de anjo revelador.

Como em todas as situações que infringem as normas da sociedade, identificávamos de imediato os casais na mesma situação que a nossa. Trocávamos olhares coniventes. Sentíamos necessidade de ter semelhantes. Era impossível, de fora, esquecer que vivíamos essa história debaixo do olhar da sociedade, o que eu aceitava como um desafio para mudar as convenções.

Na praia, deitada ao lado dele, sabia que as pessoas ao redor ficavam nos espiando, a mim sobretudo, e que elas examinavam meu corpo, medindo seu estado avançado, *quantos anos ela deve ter?* Se estivéssemos deitados separados na areia, nenhum de nós receberia uma atenção especial. Ao se deparar com o casal que nitidamente formávamos, os olhares passavam a ser descarados, quase estupefatos, como se diante de uma união antinatural. Ou um mistério. O que as pessoas viam não éramos nós, e, sim, de modo confuso, o incesto.

Certo domingo, em Fécamp, caminhávamos de mãos dadas no cais perto do mar. De uma ponta à outra, fomos acompanhados por todos os olhares das pessoas sentadas no parapeito de cimento que margeava a praia. A. me fez perceber que éramos mais inaceitáveis que um casal de homossexuais. Lembrei-me de outro domingo de verão com meus pais, aos dezoito anos, em que todos os olhares me seguiram por causa do meu vestido, que era justo demais, fato que me valeu a censura irritada de minha mãe por eu não ter colocado a cinta elástica que, em suas palavras, "fazia vestir melhor". Agora eu me tornava de novo a mesma moça escandalosa. Desta vez, porém, sem um pingo de vergonha, com um sentimento de vitória.

Nem sempre eu tinha sido assim tão gloriosa. Numa tarde em Capri, diante do espetáculo de moças jovens bronzeadas atravessando a *piazzetta* na qual bebíamos nossos Camparis, lancei-lhe a pergunta: “A juventude te seduz?”. A expressão de surpresa e a gargalhada que ele soltou em seguida me fizeram perceber minha gafe. Era uma pergunta para manifestar minha capacidade de compreensão e minha abertura de espírito, de modo algum buscava conhecer a verdade do desejo dele, do qual eu tinha acabado de ter uma prova uma hora antes. Ora, a pergunta não só indicava que eu já não era mais jovem, como também o excluía dessa categoria na qual eu o havia encaixado, como se estar comigo o afastasse da juventude.

Naturalmente minha memória me trazia de volta imagens da guerra, de tanques americanos na Vallée, em Lillebonne, de cartazes do general De Gaulle com seu quepe, das manifestações de maio de 1968, e eu estava com alguém cujas lembranças mais antigas remontavam, se muito, à eleição de Giscard d'Estaing.* Ao lado dele, minha memória parecia infinita. Essa espessura de tempo que nos separava era de uma grande delicadeza e dava mais intensidade ao presente. Não me ocorria o pensamento de que essa minha longa memória do tempo de antes do nascimento dele fosse o par, a imagem inversa, da memória que ele teria depois da minha morte, com eventos e personagens políticos que eu nunca terei conhecido. De todo modo, pela sua própria existência, ele *era* minha morte.

* Valéry Giscard d'Estaing, presidente da França de 1974 a 1981. (N.E.)

Assim como meus filhos. E do modo como eu fora para a minha mãe, falecida antes do fim da União Soviética, mas que se lembrava dos badalos dos sinos atravessando o país no dia 11 de novembro de 1918.*

Ele queria ter um filho comigo. Esse desejo me perturbava e me dava o sentimento de uma injustiça profunda por estar em plena forma física, mas não poder mais conceber. Era espantoso saber que, graças à ciência, agora era possível engravidar depois da menopausa, com o óvulo de outra mulher. Mas

* Data em que, na cidade de Compiègne, na França, foi declarado o Armistício entre os Aliados e a Alemanha na Primeira Guerra Mundial. (N.E.)

eu não tinha nenhuma vontade de tentar o procedimento que meu ginecologista tinha proposto. Apenas me divertia com a ideia de uma nova maternidade, algo que, depois do nascimento do meu segundo filho, aos vinte e oito anos, eu nunca mais tinha desejado. Talvez ele estivesse confundindo seus próprios desejos. Certo verão, em Chioggia, aguardando o *vaporetto* para voltar a Veneza, ele me disse: "Eu queria estar dentro de você e sair de lá para me parecer com você".

Ele me mostrava fotos de quando era criança, franzino e cacheado, e adolescente, mal-encarado de cabelo comprido. Eu não sentia qualquer desconforto de mostrar para ele minhas fotos de menina e adolescente. Tanto uma situação quanto a outra estavam bem distantes de mim. Precisei me obrigar a pegar as fotos dos meus vinte, vinte e cinco anos, escolhendo a mais bonita por vaidade, sabendo que seria justamente ela que tornaria mais cruel a comparação com meu rosto de hoje, mais magro, mais duro. Era outra moça que ele via, cuja realidade, se fosse buscada na mulher atual, sempre lhe escorreria pelas mãos. O desejo que essa moça sem rugas poderia inspirar nele, essa moça de longos cabelos castanhos que ele nunca veria, tal desejo não tinha solução. Como revelou, na entrelinha, sua reação tão espontânea, "essa foto me deixa triste".

Um dia, enquanto almoçávamos num café em Madri, tocou "Don't Make Me Over", música de Nancy Holloway. Nesse momento eu revi o alojamento universitário de moças, em Rouen, e minha busca, na Rue Eau-de-Robec e na Place Saint-Marc, totalmente desnorteada, pela placa de um médico que aceitasse fazer em mim um aborto, em novembro de 1963. Kennedy tinha acabado de ser assassinado. Eu olhei para A. comendo batata frita na minha frente. Ele era um pouco mais velho que o estudante que tinha me engravidado e que, sem saber, tinha deixado gravada em minha memória essa música de Nancy Holloway em voga na época, dando-lhe um sentido de amor inconsequente e de desamparo, meu estado de espírito de então. Pensei que, para mim, era irrelevante se a ouvia com um homem ou com outro, ela teria para sempre o mesmo sentido. Se, depois, ouvindo-a de novo, eu me lembrasse também do café na Puerta del Sol, com A. à minha frente, esse momento só teria valor por ter sido o pano de fundo para a irrupção de uma lembrança violenta. Seria apenas uma segunda lembrança.

Parecia-me, cada vez mais, que eu poderia acumular imagens, experiências, anos, sem ter nenhum outro sentimento além da própria repetição. Tinha a impressão, ao mesmo tempo, de ser eterna e de estar morta, como vejo minha mãe num sonho que tenho com frequência. Ao acordar, durante alguns instantes, tenho certeza de que ela realmente vive sob essa dupla forma.

Essa sensação era um sinal de que o papel desempenhado por ele — de alguém que abria as portas do tempo na minha vida — tinha chegado ao fim. Talvez o meu papel, de iniciadora na vida dele, também tivesse acabado. Ele deixou Rouen e foi para Paris.

Depois de muito tempo dando voltas em torno do tema, comecei a escrever a narrativa sobre o meu aborto clandestino. Quanto mais eu avançava na escrita desse acontecimento que tinha se passado antes mesmo do nascimento dele, mais sentia um desejo irresistível de terminar com A. Como se eu quisesse liberá-lo e expulsá-lo, assim como eu tinha feito com o embrião mais de trinta anos antes. Trabalhava incessantemente para concluir meu texto e também, por uma estratégia decidida de afastamento, para romper com ele. Com poucas semanas de diferença, a ruptura coincidiu com o fim do livro.

Era outono, o último do século 20. Percebi que estava feliz por poder entrar sozinha e livre no terceiro milênio.

1998-2000

2022

Obras de Annie Ernaux

Les armoires vides [Os armários vazios, 1974]
Ce qu'ils disent ou rien [O que dizem ou nada, 1977]
La femme gelée [A mulher fria, 1981]
O lugar [1983]
Une femme [Uma mulher, 1987]
Passion simple [Paixão simples, 1991]
Journal du dehors [Diário do exterior, 1993]
A vergonha [1997]
Je ne suis pas sortie de ma nuit [Eu não saí da minha noite, 1997]
O acontecimento [2000]
La vie extérieure [A vida exterior, 2000]
Se perdre [Se perder, 2001]
L'occupation [A ocupação, 2002]
Os anos [2008]
L'autre fille [A outra filha, 2011]
L'atelier noir [O ateliê preto, 2011]
Retour à Yvetot [Retorno a Yvetot, 2013]
Regarde les lumières mon amour [Olhe para as luzes, meu amor, 2014]
Mémoire de la fille [Memória da menina, 2016]
Hôtel Casanova [Hotel Casanova, 2020]
O jovem [2022]

CATHERINE HÉLIE

ANNIE ERNAUX nasceu em 1940, em Lillebonne, na França. Estudou na Universidade de Rouen e foi professora do Centre National d'Enseignement par Correspondance por mais de trinta anos. Seus livros são considerados clássicos modernos na França. Em 2022, Ernaux recebeu o prêmio Nobel de literatura pelo conjunto de sua obra.

FSC
www.fsc.org
MISTO
Papel | Apoiando o manejo florestal responsável
FSC® C011095

A marca FSC® é a garantia de que a madeira utilizada na fabricação do papel deste livro provém de florestas gerenciadas de maneira ambientalmente correta, socialmente justa e economicamente viável e de outras fontes de origem controlada.

Título original: *Le jeune homme*

EDITORAS Rita Mattar e Eloah Pina
ASSISTENTE EDITORIAL Mariana Correia Santos
PREPARAÇÃO Fred Spada
REVISÃO Eduardo Russo e Gabriela Rocha
DIRETORA DE ARTE Julia Monteiro
CAPA Bloco Gráfico
IMAGENS Arquivo privado de Annie Ernaux (direitos reservados)
TRATAMENTO DE IMAGENS Julia Thompson
PROJETO GRÁFICO Alles Blau
EDITORAÇÃO ELETRÔNICA Página Viva

Dados Internacionais de Catalogação na Publicação (CIP)
(Câmara Brasileira do Livro, SP, Brasil)

Ernaux, Annie
O jovem / Annie Ernaux ; tradução Marília Garcia. — São Paulo, SP : Fósforo, 2022.

Título original: Le jeune homme
ISBN: 978-65-84568-42-6

1. Ernaux, Annie, 1940- 2. Escritoras francesas — Autobiografia 3. Literatura francesa 4. Relacionamentos I. Título.

22-126037 CDD – 848.092

Índice para catálogo sistemático:
1. Escritoras francesas : Autobiografia 848.092

Eliete Marques da Silva — Bibliotecária — CRB-8/9380

1ª edição
2ª reimpressão, 2023

Editora Fósforo
Rua 24 de Maio, 270/276, 10º andar, salas 1 e 2 — República
01041-001 — São Paulo, SP, Brasil — Tel: (11) 3224.2055
contato@fosforoeditora.com.br / www.fosforoeditora.com.br

Este livro foi composto em GT Alpina e
GT Flexa e impresso pela Ipsis em papel
Pólen Bold 90 g/m² da Suzano para a
Editora Fósforo em julho de 2023.